Le Noël des animaux

Cette année-là, quelques jours avant Noël, il y eut une violente tempête de neige qui dura toute la nuit.
La tempête cognait si fort sur les carreaux que le père François ne put s'endormir. Le matin, en regardant par la fenêtre, il fut surpris par l'épaisse couche de neige qui avait recouvert la forêt. Il s'habilla chaudement et sortit de sa maison pour se rendre à l'étable. À peine eut-il poussé la porte, qu'il fut accueilli par un concert de piipiip, de bêêê et de houhou...

— Bonjour, mes petits amis, répondit François à cet accueil chaleureux.

Le vieil homme monta aussitôt au fenil et lança à ses protégés de grandes brassées de foin odorant.

— Et voilà pour vous, dit-il en jetant quelques poignées de graines aux oiseaux.

— Père François, croyez-vous que nos amis de la forêt vont trouver assez de nourriture ? s'inquiéta la chèvre.

— Ne t'en fais pas, Biquette, les chevreuils grattent la neige et les sangliers peuvent déterrer des glands…

Mais la neige continuait à tomber et, chaque jour, le père François s'inquiétait davantage en pensant aux animaux de la forêt. Il craignait surtout pour les jeunes qui étaient encore bien fragiles et qui devaient avoir du mal à se nourrir.

La veille de Noël, il se mit à geler si fort que le père François envoya aussitôt les corbeaux voir comment se débrouillaient leurs amis de la forêt. Mais ils rapportèrent de bien mauvaises nouvelles.

– Les sangliers n'arrivent plus à déterrer les glands, les chevreuils ne trouvent plus un brin d'herbe. Comment pouvons-nous les aider ?

Le père François tournait en rond dans sa chaumière, il était désespéré !

La nuit venait de tomber. François s'apprêtait à se coucher lorsque quelqu'un frappa à la porte. Quelle surprise ! C'était le Père Noël en personne qui venait rendre visite à son vieil ami !

Il était frigorifié et tout couvert de neige.

– Débarrasse-toi, viens vite te réchauffer près du feu.

– Me faire sortir par ce froid de canard, je ne suis plus aussi vaillant qu'à vingt ans ! dit en bougonnant le célèbre ami des enfants.

— Père Noël, je suis content de te voir. Il va y avoir un grand malheur dans la forêt ; comment allons-nous sauver les animaux de la famine ?

Le Père Noël se gratta la barbe d'un air soucieux...

— J'ai une idée ! s'écria-t-il soudain. Apporte-moi du papier, beaucoup de papier, et une plume !

Pendant plusieurs heures, le Père Noël écrivit des centaines de lettres. Le père François n'y comprenait rien :

— Père Noël, explique-moi, quelle est ton idée ?

— Tiens, prends une lettre, lis-la et tu comprendras, lui répondit le Père Noël.

En se réveillant le lendemain matin, quelle ne fut pas la surprise des enfants en découvrant une lettre dans leurs chaussures. Voici ce qu'elle leur disait :

« Mes chers enfants, cette année, c'est moi qui vais vous demander un cadeau. Comme vous le savez, il y a beaucoup de neige et il fait bien froid ! Dans les forêts, les animaux ne peuvent plus se nourrir. Plusieurs d'entre eux mourront la nuit de Noël si nous ne les aidons pas. Je vous demande de préparer de la nourriture pour eux. À la veillée de Noël, nous irons tous ensemble les nourrir. Je compte sur vous.

Le Père Noël. »

Avec l'aide de leurs parents, tous les enfants de la région préparèrent mille choses délicieuses pour les animaux affamés. Des bottes de foin pour les chevreuils, des sacs de grain pour les oiseaux, du pain et des carottes pour les lapins et de l'eau fraîche pour tout le monde. Il y avait même une petite fille qui avait apporté du chocolat !

Le soir de Noël arriva et les enfants s'habillèrent chaudement. Ils étaient tous très heureux de pouvoir venir en aide à leurs amis les animaux. Dans la bonne humeur, ils attendaient la venue du Père Noël…

Soudain, on entendit un bruit de clochettes. Tiré par des rennes, un magnifique traîneau tout scintillant entrait dans le village. Le Père Noël !

Après avoir chargé les provisions, toute la troupe se dirigea vers la forêt en entonnant des chants de Noël. Souriant dans sa barbe blanche, le vieux Père Noël était tout ému par tant de générosité.

Une fois hors du village, la nuit se fit très sombre. Le Père Noël avait bien du mal à trouver son chemin ! Alors, dans le ciel monta l'étoile du Berger, l'étoile même qui avait guidé les Rois mages. Le Père Noël sourit :

– Cette nuit, tout le monde nous aide, même les étoiles !

Chez le père François, tous les animaux étaient rassemblés. Ils s'impatientaient, le ventre creux, en posant mille questions.

— Attendez, soyez patients, la surprise va arriver ! leur répétait sans cesse le vieil homme.

Soudain, ils tendirent l'oreille : un bruit de clochettes approchait...

Derrière le traîneau, la longue procession des enfants arrivait en chantant. Les animaux s'effrayèrent un peu de voir tant de monde ; mais lorsqu'ils s'aperçurent qu'il n'y avait là que des enfants, ils furent rassurés : les enfants sont les amis des animaux !

Le déchargement et la distribution de nourriture se firent dans la joie. Les bottes de foin furent éparpillées dans l'étable, les sacs de grain furent déversés.
Les animaux firent la fête à leurs bienfaiteurs. Quel festin après des jours et des jours de famine ! Un jeune chevreuil trouva même le chocolat à son goût !

Quelle nuit de Noël !
Pour tous, elle sera inoubliable !

Alors, le père François alluma un grand feu de joie. Les enfants formèrent une ronde joyeuse en chantant des chants de Noël. Discrètement, le Père Noël avait rechargé son traîneau de tous les cadeaux qu'il avait cachés dans une grange. Il partit alors pour sa longue nuit de distribution...

Noël au pays des santons

L'hiver est vraiment rude, cette année. Pinpin, l'écureuil, et ses deux amies souris, Misti et Grigri, ont quitté leur forêt pour chercher un peu de chaleur près des hommes.

– Regardez, les amies, s'exclame Pinpin, il y a là une chapelle. Le curé est certainement un brave homme ! Il aura pitié de deux souris et d'un écureuil frigorifiés !

« Tiens, il me semble avoir entendu du bruit ! » se dit Séraphin, le vieux curé.

Il ouvre sa porte, une bourrasque fait voler quelques flocons à l'intérieur de la vieille chapelle. Misti, Grigri et Pinpin se précipitent au chaud.

– Oh, les pauvres petits, ils tremblent de froid ! Venez, venez vous réchauffer !

Le vieux curé n’est pas bien riche, mais il a encore un peu de pain, que les souris et l’écureuil ont tôt fait de grignoter. Ensuite, sur son poêle, il leur chauffe du lait. Du bon lait chaud, quel réconfort ! Séraphin sourit en voyant ses trois nouveaux amis se réchauffer et se régaler.

— Il y a bien longtemps que je n’ai plus eu de visite, leur dit-il, la corde de la cloche est cassée et je ne peux plus appeler les villageois pour la messe... Mais je suis très heureux de vous voir ! La maison de Dieu, si humble soit-elle, est toujours un refuge pour ceux qui sont dans le besoin...

Le brave père Séraphin enroule alors une vieille écharpe devant le poêle. Il y installe confortablement l'écureuil et ses deux amies souris. Il recharge son poêle de grosses bûches de chêne qui vont donner une douce chaleur pendant toute la nuit.

«Quelle chance nous avons d'être venus ici!» se dit Pinpin avant de fermer les yeux et de sombrer dans un profond sommeil.

Au beau milieu de la nuit, Misti réveille ses deux compères.

— Dites, les amis, ne pensez-vous pas que nous devons faire un cadeau à ce brave curé ? Il nous a sauvés du froid et de la faim !

— Si, bien sûr ! Tu as une idée ? lui demande Grigri.

— Nous allons lui réparer la corde de sa cloche ; Séraphin pourra ainsi appeler les villageois pour la veillée de Noël.

— Bonne idée ! s'exclame Pinpin.

Les trois amis ont déniché de vieux draps dans le grenier. Silencieusement, pour ne pas éveiller le vieux curé, ils ont noué bout à bout des morceaux de drap et ils grimpent maintenant dans le clocher.

Que c’est dur ! Les marches sont hautes ! Mais avec de la volonté et en s’entraidant, on arrive à tout !

Enfin, l'écureuil et les deux souris sont arrivés au sommet du clocher. Tandis que Misti et Grigri nouent solidement la corde de fortune au battant, Pinpin fait briller la cloche en l'astiquant avec un chiffon.

– Ainsi, elle sonnera encore mieux ! dit-il.

Le matin, en se levant, Séraphin a l'heureuse surprise de voir la corde que les trois petits animaux ont bricolée pendant la nuit.

— C'est merveilleux ! s'écrie le vieux curé, je pourrai ainsi appeler les villageois pour la messe de minuit !

Tout joyeux, Séraphin tire sur la corde et fait sonner sa bonne vieille cloche, qui n'a jamais tinté aussi clairement !

En bas, dans la vallée, les habitants du village sont occupés à préparer la veillée de Noël. Ils achètent des boules et des guirlandes pour décorer leurs sapins; ils s'arrêtent devant les jolies vitrines pour admirer les personnages de la crèche... Soudain, tous entendent tinter la cloche de la petite chapelle, là-haut dans la montagne.

— Oh ! le vieux père Séraphin !

— C'est vrai, nous l'avions oublié !

— Il y a si longtemps que nous n'avions plus entendu sonner sa cloche !

— Oui, Noël, ce n'est pas seulement la fête des enfants et des cadeaux, c'est aussi la fête du plus merveilleux d'entre eux : le petit Jésus. Il naîtra cette nuit ; nous devons tous lui rendre hommage et aller à la messe de minuit à la vieille chapelle du père Séraphin !

Ding, dong ! Ding, dong ! Ding, dong ! Pinpin, Misti et Grigri font sonner la cloche à toute volée ! Tous sont montés du village : c'est une longue file de petites lumières qui se dirige vers la vieille chapelle dans la montagne... Avec un grand sourire qui illumine son visage, Séraphin accueille ses paroissiens.

— Entrez, entrez, mes enfants, vous êtes les bienvenus ! Merci à tous de venir prier le petit Jésus en cette nuit de Noël !

Mais il y a tellement de monde que tous ne peuvent pas entrer dans la chapelle.

– Ce n'est rien, mes amis, dit le père Séraphin, je vais célébrer cette messe de minuit à l'extérieur.

Le ciel limpide, tout illuminé d'étoiles, éclaire toute l'assemblée. Et si les villageois ont un peu froid, la chaleur rayonne dans leur cœur en cette nuit magique...

Après cette merveilleuse messe, chacun est rentré chez soi. Séraphin est tout heureux de ce qui s'est passé.

« Et tout ça grâce à trois petits animaux ! se dit-il. Où sont-ils donc passés, que je leur donne une friandise ? »

Il les trouve soudain… dans la crèche ! Blottis chaudement près de l'enfant Jésus, ils ronflent doucement !

Les biscuits de Noël

Il existe, bien loin au-dessus de nos têtes, un pays que nous ne voyons jamais, car il est toujours entouré de nuages blancs. C'est le pays de Noël. Dans ce domaine invisible, le Père Noël vit entouré d'une ribambelle d'angelots qui préparent des cadeaux pour tous les enfants. C'est un travail énorme, qui demande une organisation très stricte. Le Père Noël lit les lettres des enfants à voix haute.
Si leur demande est raisonnable, les angelots magasiniers se chargent de trouver les jouets dans l'énorme entrepôt. Il faut ensuite les emballer dans un joli papier et les classer par pays, par région, par rue...

D'autres angelots, que l'on reconnaît à leur ventre bien rond, s'occupent d'une tout autre tâche : la confection des biscuits de Noël.

Dans d'immenses marmites, les anges pâtissiers préparent une pâte dont ils gardent jalousement le secret. Le mélange doit être très onctueux et parfaitement dosé. Les petits cuistots vérifient régulièrement la qualité de leur produit. Pas étonnant donc qu'ils prennent un peu de poids. Ce n'est pas de la gourmandise : ils travaillent pour la bonne cause. Mais, quand ils s'envolent, on voit qu'ils manquent de légèreté !

Quand la pâte est prête, d'autres angelots la versent dans des moules aux formes variées : losanges, cœurs, croissants, étoiles...

Ils travaillent avec beaucoup de soin. Si les moules sont trop remplis, les biscuits colleront les uns aux autres et casseront quand on voudra les séparer. Pas question d'offrir, pour Noël, des biscuits ratés !

Le Père Noël, qui est un patron très exigeant, vient régulièrement inspecter la production. Et il ne manque pas de goûter quelques échantillons. Vous l'aurez remarqué, il est bien enveloppé, lui aussi. Et sa grosse veste fourrée n'explique pas tout !

Il reste à mettre les biscuits dans les grands fours ronds. Les angelots qui les enfournent n'ont pas l'occasion de grossir : la chaleur est intense et les pauvres petits chérubins transpirent abondamment !

Il faut maintenant que les biscuits cuisent à point, qu'ils deviennent bien dorés et croquent gentiment sous la dent...

Les fours sont fermés
et les paniers en osier attendent
leur cargaison de biscuits.
Un angelot est chargé de mesurer
le temps de cuisson avec un gros
sablier.

Pour tuer le temps,
il se balance doucement
dans son fauteuil, en rêvant
qu'il vole gaiement
dans un ciel d'azur.

Catastrophe ! Le voilà
qui succombe à la chaleur
et il s'endort
profondément...

Bien plus bas, sur la terre, des enfants profitent du beau manteau de neige qui recouvre la campagne pour faire de la luge.

Soudain, ils lèvent le nez vers le ciel... Il est envahi d'étranges nuages rougeoyants ! Serait-ce un orage qui s'annonce ?

Jamais les enfants ne pourront deviner ce qui se passe. Au pays de Noël, les biscuits ont cuit beaucoup trop longtemps. Une épaisse fumée s'échappe des fours. Pris de panique, les angelots y jettent de grands seaux d'eau.

Mais leur idée n'est pas bonne. Dans le four surchauffé, l'eau se change en vapeur... La fumée pique les yeux des petits anges. À travers leurs larmes, ils ne distinguent plus ce qui est nuage, fumée ou vapeur. Ils courent en tous sens en se cognant l'un à l'autre...

Le Père Noël, qui arrive à ce moment, croise les bras d'un air sévère en voyant ce gâchis. Pas de doute, il est furieux ! Bientôt, sa grosse voix va tonner !

Quand l'agitation retombe enfin, le Père Noël et ses angelots ouvrent les fours un à un. Hélas, ils découvrent partout le même désastre. Les biscuits sont carbonisés ; il n'y en a pas un seul à récupérer. Et il ne reste plus assez de temps pour en préparer une nouvelle fournée. Cette nuit, le Père Noël doit faire la distribution des cadeaux !

Pour la première fois, il n'y aura pas de biscuits dans les colis des enfants...

« Non, se dit le Père Noël, c'est vraiment trop triste. Je dois trouver une solution ! »

Pour redresser la situation, il faudrait un miracle. Justement, le Père Noël connaît quelqu'un qui accomplit des prodiges : sa vieille amie la fée Alchémille.

Alchémille est une fée sans domicile fixe. Elle vole dans le ciel, de nuage en nuage, en cherchant de bonnes actions à accomplir. Mais le problème, c'est de trouver la fée dans l'immensité du ciel !

Heureusement, le traîneau du Père Noël, tiré par ses rennes magiques, peut se déplacer à la vitesse de l'éclair. Bien vite, il aperçoit la bonne fée, entourée d'une nuée d'oiseaux.

La fée Alchémille se rend aussitôt au pays de Noël.

– Préparez vos paniers, dit-elle aux angelots. Il va bientôt neiger.

Sans bien comprendre, les angelots lui obéissent. Comme la fée l'avait annoncé, de gros flocons commencent à tomber. Au passage, Alchémille les transforme en biscuits avec sa baguette magique. Il yen a de toutes les formes, de toutes les couleurs et à tous les parfums. Et ils sont délicieux !

– Alors, dit fièrement la fée, que pensez-vous de ce tour-là ?

Le Père Noël et ses angelots remercient chaleureusement la bonne fée Alchémille, qui en devient rouge de confusion.

- Franchement, dit-elle, j'ai eu peur que ma baguette magique tombe à court d'énergie avant la fin du travail. Et, comme je dois la recharger aux rayons de pleine lune, nous aurions été dans un beau pétrin !

Heureusement, tout est bien qui finit bien. Les angelots ont vite emballé les biscuits. Le Père Noël peut commencer ses livraisons ! Sa longue caravane de traîneaux glisse dans le ciel étoilé, au-dessus des villages endormis. Pour le Père Noël et ses rennes, c'est une très longue nuit de travail qui commence...

Le matin, les enfants trouvent leurs cadeaux au pied du sapin. En plus des jouets qu'ils avaient demandés, ils découvrent un sachet de biscuits délicieux, légers comme des nuages...

Ils ne savent pas que, la veille, ces biscuits ont causé un petit drame au pays de Noël !

La lettre des lutins

Nous nous trouvons au pays des lutins. Ces petits personnages hauts comme trois pommes vivent dans un village très bien caché. Aucun humain ne l'a jamais découvert !

Chez les lutins, tout le monde porte un bonnet. Si les petits hommes se contentent de chauds vêtements de laine, leurs femmes sont bien plus coquettes. Elles décorent leurs habits de jolis motifs finement brodés.

Aujourd'hui, une animation toute particulière règne dans la grand-rue...

C'est que Noël approche ! Comme chaque année, tous les enfants se sont réunis sur la place. Il est grand temps d'adresser sa demande de jouets au Père Noël.

Un nain âgé, qui a une très belle écriture, se charge de la rédiger. Il écrit sur un long rouleau de parchemin, avec un énorme stylo. On dit qu'un humain l'a un jour perdu dans les bois et que deux lutins bûcherons l'ont ramené au village. Ce grand stylo vient bien à point ! Les yeux du Père Noël sont un peu fatigués. Il ne pourrait pas déchiffrer la liste si les lutins écrivaient avec un stylo à leur taille !

Quand la liste est terminée, les lutins la roulent soigneusement. Il faut maintenant la faire parvenir au Père Noël...

Ils placent le rouleau de parchemin sur un traîneau et gravissent une haute colline. La marche dans la neige est un peu pénible, mais les lutins ne manquent pas de courage.

Leur messager les attend au sommet de la colline. C'est un grand et mystérieux cygne blanc qui vit au pays des lutins.

Chaque année, il emporte leur lettre dans le ciel et la remet au Père Noël. Il accomplit toujours fidèlement sa mission. Jamais le message ne s'est perdu. Les enfants, qui ont en lui une confiance absolue, ne se tracassent plus pour leur liste. Ils reprennent leurs jeux avec insouciance...

Le cygne sait parfaitement ce qu'on attend de lui. Il saisit dans son bec le ruban qui entoure le parchemin et, en quelques battements d'ailes puissants, s'arrache au sol enneigé. Très vite, il s'élève dans les airs. Sa grande silhouette n'est bientôt plus qu'un minuscule point blanc dans le ciel.

Les lutins, qui ont assisté à son envol, se remettent en route vers le village. Ils savent que le Père Noël recevra leur message et plaisantent joyeusement sur le chemin du retour.

Cette année justement, il se produit quelque chose d'étrange. Là-haut dans les nuages, le Père Noël a dépouillé tout son courrier.

Il a reçu une multitude de lettres et de cartes venant des quatre coins du monde. Mais le Père Noël se tracasse...

– Je ne trouve pas le rouleau de parchemin des lutins, murmure-t-il en se grattant le menton. Ce n'est pas normal !

Ce brave Père Noël ne supporte pas l'idée qu'un seul enfant soit oublié. Il faut qu'il en ait le cœur net et retrouve le message disparu !

Il saute donc dans son traîneau et, avec ses fidèles rennes, se dirige vers le pays des lutins...

Alors qu'il survole une cabane isolée, à l'écart du village, il entend soudain de curieux petits cris plaintifs. On dirait un animal qui appelle à l'aide !

C’est le cygne messager qui est prisonnier ! Alors qu’il s’élevait dans le ciel, le ruban s’est défait et le message est tombé. Le cygne est vite redescendu au sol et a retrouvé le message, près de la cabane isolée.

Mais le méchant lutin qui y habite s’est emparé de l’oiseau. Il déteste tout le monde et veut jouer un mauvais tour aux enfants du village !

Le lutin entend un grand bruit près de sa cabane. Il se précipite vers la fenêtre pour voir ce qui se passe. C'est le traîneau du Père Noël qui vient de se poser !

Le méchant lutin prend peur. Il se glisse au dehors et va vite se cacher derrière sa réserve de bois. Tout tremblant, il voit le Père Noël se diriger vers la porte de la cabane...

Le Père Noël découvre le malheureux cygne blanc enfermé dans la cage. Il a tôt fait de le libérer.

— Va, retourne sur ta colline ! dit le Père Noël à l'oiseau qui s'envole. J'ai récupéré le message et je l'emporte. Tu n'as plus de souci à te faire.

Un enfant qui jouait près de la cabane a suivi toute la scène. Il s'empresse de retourner au village pour raconter ce qu'il a vu.

Le Père Noël n'a pas le temps de se demander qui a emprisonné le cygne. Il a trop de cadeaux à préparer ! Il regagne donc le pays de Noël et déroule le long parchemin.

Comme toujours, les lutins se sont montrés très raisonnables. Ils recevront donc tout ce qu'ils demandent. Il suffit d'aller chercher les jouets à l'entrepôt et de les emballer... C'est le travail des angelots, les assistants du Père Noël.

Pendant ce temps, les enfants se sont réunis dans une grange pour discuter de ce qui s'est passé.

Ils n'en veulent même pas au méchant lutin solitaire. Ils ont compris qu'il est surtout très malheureux. Son mauvais caractère lui a fait perdre tous ses amis. Et, plus il se sent seul, plus il devient méchant !

Cela ne peut plus continuer ainsi. Les enfants décident, à l'occasion de Noël, de faire quelque chose pour lui.

Le matin de Noël, les enfants des lutins trouvent leurs cadeaux au pied du sapin, comme chaque année. Ils s'empressent de les déballer, sous le regard attendri de leurs parents.

Ils ne leur ont pas dit que le lutin solitaire avait capturé le cygne blanc. Ils préfèrent garder le secret pour accomplir leur bonne action...

Ce soir-là, le méchant lutin solitaire
oit un cortège de lumières se diriger vers
a cabane. Il se met à trembler, car il
ense que les habitants du village viennent
e punir de son vilain geste.

Mais, à sa grande surprise, de beaux
hants de Noël s'élèvent bientôt devant
a maison. Tous les enfants sont là, une
handelle à la main. Ils chantent pour
ttendrir son cœur endurci !

Enfin, ils s'avancent vers la porte...

Le lutin solitaire n'en croit pas ses yeux. Les enfants lui ont apporté de beaux cadeaux : un tricot bien chaud et une magnifique écharpe, une boîte de friandises... Et, surtout, une superbe chaise sculptée !

Personne ne s'est jamais montré aussi gentil avec lui. Tout ému, il promet aux enfants que, pour leur prochaine visite, il leur préparera du chocolat chaud et des gâteaux !

Table des matières